남편 때문에 우울증 온
주부들의 해결책 3가지

마음의 거울 서비스 ; 글쓰기 재해석

윤 정 현 지음

행복스쿨

남편 때문에 우울증 온 주부들의 해결책 3가지

마음의 거울 서비스 ; 글쓰기 재해석

발 행 | 2024년 05월 27일
지 음 | 윤정현
펴낸이 | 윤정현
펴낸곳 | 행복스쿨
출판사등록 | 2020. 07. 03. (제2020-51호)
주 소 | 서울 광진구 긴고랑로 41, 4층
전 화 | 070-4529-1416
이메일 | yihy7@paran.com
ISBN | 979-11-973226-2-4
www.hpschool.modoo.at

윤정현 @ 2024

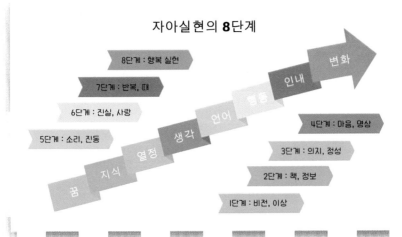

자아실현의 **8단계**

8단계 : 행복 실현
7단계 : 반복, 때
6단계 : 진실, 사랑
5단계 : 소리, 진동
4단계 : 마음, 명상
3단계 : 의지, 정성
2단계 : 책, 정보
1단계 : 비전, 이상

꿈 지식 열정 생각 언어 행동 인내 변화

책이나 강의는 타인의 지식이다!
내 지식은 하나도 없다. 기억일 뿐이다!
내 지식은 오직 재해석(라이팅 테라피)뿐이다!
이것이 인지요 알아차림이다!

사람은 알아차림이 일어날 때
의식적인 경청과 공감의 문이 열린다!
공감이 일어날 때
사람은 언어와 행동이 바뀐다!
변화는 인지된 지식에서만 시작된다!

목 차

프롤로그　　06

제1장
남편 때문에 우울증이 온 주부들의 해결책 3가지 ; 유형적 관점

남편을 없애라!　　12

운동을 하라!　　14

글쓰기를 해보라　　16

제2장
행복해지는 삶의 유형 5가지 ; 결과적 관점

타인 경청형　　26

자기 계발형　　28

지적 관찰형　　30

문제 인식형　　32

자기 주도형　　34

제3장
마음의 거울 서비스 글쓰기 재해석 ; 과정적 관점

에너지 흐름도　　38

인지 과정 재해석　　44

제4장

주도적 변화 프로세스 ; 원리적 관점

아웃풋은 인풋에서   50

앎은 결과 & 행은 고르는 과정   54

이유는 원리다   56

제5장

양심의 3가지 작용과 인지부조화 이론
; 양심적 관점

인지부조화 ; 이성의 잘못된 선택   62

양심의 시그널 ; 느낌   62

양심의 작용 형태 ; 인정, 방어, 거부   63

인정 ; 성숙한 인격자   63

방어 ; 무지(無知)한 범인(凡人)   64

거부 ; 양심에 털 난 인간들   65

잘못된 신념 VS 메타 인지   67

에필로그   70

현대인의 우울증은 우울한 사회가 만들어낸 당연한 현상 중 하나이다. 우리 사회가 그러한 환경을 만들고, 그렇게 살아가도록 코너에 몰아넣고 있다는 생각이 든다.

특히 주부 우울증은 가장 작은 공동체이자 가장 중요한 가족 공동체를 만들어 가는 중심체로서 안정적인 기반이 흔들리게 만드는 요인이다. 혼자서는 살아가기 힘든 경제적 고단함이 맞벌이와 워킹맘으로 달리기를 하게 만드는 사회다. 아직도 남성 중심주의적인 사고방식은 가정에 돌아오면 함께 만들어 가야 한다는 의식은 찾아보기 어렵다. 뒷짐을 지거나 아내를 도와준다는 철없는 남편들의 사고방식은 말을 꺼내는 것조차 지쳐서 우울함을 더하게 만든다.

그러한 문제를 인식하고, 주부들로서 가장의 중심적인 역할자로 살아갈 수 있도록 문제 해결의 방안들을 기술하였다. '남편 때문에 우울증이 온 주부들의 해결책 3가지'라는 책을 쓴 취지와 배경, 목적에 대하여 아래 글에서 좀 더 깊이 살펴보도록 하겠다.

1. 쓰는 취지

남편과의 관계로 인해 우울증을 겪는 주부들은 사회적으로 큰 고통을 겪고 있지만, 주변의 이해와 도움을 받기 어렵다. 이 글은 남편 때문에 우울증이 온 주부들의 어려움을 이해하고, 혼자가 아니라는 것을 알려주고자 한다. 또한, 우울증 증상을 완화하고 삶의 질을 향상시키는데, 도움이 되는 3가지 해결책을 제시하여 실제적인 도움을 제공하는 것을 목표로 하고 있다. 더나아가 근본적인 해결책도 제시하여 자존감 회복은 물론, 행복한 가정을 조성하는 중심체적 존재로서 그 역할과 방법도 담았다.

2. 배경

한국 사회는 여전히 남성 중심적인 문화가 강하며, 여성들은 가정과 남편을 돌보는 책임을 강요받는 경우가 많다. 이러한 사회적 분위기 속에서 남편과의 갈등이나 스트레스를 겪는 여성들은 자신의 어려움을 표현하고 도움을 받기 어려울 수 있다.

또한 지속적으로 스트레스만 쌓이게 만드는 남편과의 제대로된 소통의 단절은 여성들의 우울증 증상을 악화시키는 가장 큰 요인이다.

더욱이 남편으로부터의 학대, 폭력, 소홀히 여김, 의사소통 부족 등은 여성들의 자존감을 떨어뜨리고, 스트레스를 유발하여 우울증 증상을 더욱 심화시킨다.

남편 때문에 우울증을 겪는 여성들은 주변 사람들의 이해와 지지를 얻기 어려울 수 있다. 주변 사람들은 여성들의 어려움을 무시하거나 비난하기도 하고, 사소한 일로 여겨 여성들이 혼자 해결해야 하는 문제라고 생각하기도 한다. 이러한 이해와 지지의 부족은 여성들을 더욱 고립 상태로 만든다.

3. 목적

이 책의 목적은 가장 먼저 혼자 고립감으로 우울증을 겪는 여성들의 어려움을 공감하고, 이해하는 것이 첫 번째다. 당신의 잘못으로 인하여 그렇게 된 것이 아니라 우리 사회가 그러한 환경으로 만들고, 시스템의 부족으로 인하여 코너로 몰린 여성들이 더 나은 환경에서 살아갈 수 있다는 것에 대한 공감과 지지를 보내는데 목적이 있다고 하겠다.

그리고 남편 때문에 우울증을 겪는 여성들은 혼자가 아니며, 얼마든지 도움을 받을 수 있고, 그로 인하여 충분히 행복한 권리가 있다는 사실이다. 집안에서 수도가 고장 나면 고치기 위해 수리 기사를 부르듯, 삶에서 문제가 발생하면 그것 또한 전문가를 통해 고치면 생각보다 쉽게 회복될 수 있다는 사실을 알려 주기 위해서다.

또 누구에게도 말할 수 없고, 인적 자원이 없을 때 혼자 고통하고, 좌절하는 경우가 많다. 그런 분들에게 이 책은 다양한 방법을 통해 자신의 삶의 질을 향상시킬 수 있도록 실질적인 방향을 제시한다. 가장 먼저 지켜야 하고, 가장 먼저 행복해야 할 존재는 바로 자신이기 때문이다. 이 사실을 명심할 때 당신의 행복을 위하여 좀 더 당당하게 도움을 요청할 수 있고, 또 당신은 충분히 그래야 하는 존재다.

여러 가지 방법을 통해서도 오랜 기간 우울함을 탈출할 수 없을 때가 있다. 이는 너무 오랜 시간 좌절감과 고립감으로 인하여 심리적 공황상태, 곧 포기하고 있기 때문이다. 코끼리를 어렸을 적부터 작은 기둥에 묶어두면 어른 코끼리로 장성해서도 도망가지 않는다. 이는 도망갈 수 없다는 관념이 자신을 지배하고 있기 때문에 습관이 되어버렸다. 마찬가지로 우리는 어떠한 환경이나 상태에 지배당하면 스스로 벗어나기란 저 코끼리와 같이 어렵다. 이는 부부만이 아니라 연인 관계에서도 심각한 폭언이나 폭력 속에서도 오랜 기간 가스라이팅으로 지배당하여 벗어나지 못하는 경우와 같다.

이때는 전문가의 도움을 받아야 한다. 심각한 상태에서는 방치해서는 안 된다. 암치료에서 1기의 초기 상태와 4기의 말기 상태가 있지만, 말기로 갈수록 치료하기가 어렵다. 심리적인 불안이나 우울감 또한 마찬가지다. 스스로 해결하기 어렵다면 전문가의 도움을 받아야 한다. 암을 치료하면 깨끗하게 건강한 사람이 되듯, 우울증에 심각하게 노출되었어도 치유되면 삶을 건강하고, 행복하게 살아갈 수 있기 때문이다.

이렇게 건강하게 자신의 삶을 찾아 살아가게 될 때 자신의 가정과 주변 지인 또한 건강하고 행복한 삶을 함께 즐길 수 있게 된다. 우리는 이렇게 서로가 서로에게 사회적 연대와 지지를 통해 더 행복한 세상으로 살아갈 수 있다.

윤 정 현

제1장
남편 때문에 우울증이 온
주부들의 해결책 3가지
; 유형적 관점

1. 남편을 없애라!

2. 운동을 하라!

3. 글쓰기를 해보라!

1. 남편을 없애라!

남편이 없다면 장점으로는,

첫 번째 마음이 편안하다!
남편과의 갈등이나 스트레스로부터 해방되어 마음의 편안함을 얻을 수 있다. 그동안 지긋지긋한 구속과 잔소리, 스트레스의 굴레에서 벗어나 진정한 자유를 얻을 수 있다. 이는 대부분의 주부들이 누구나 한 번은 꿈꾸는 세계다. 불가능한 꿈은 아니다. 출장이나 시부모의 일 때문에 집을 떠나 있는 기회는 그런 경험을 느낄 수 있는 시간이다. 활용해 보는 것도 좋다.

두 번째 자유로운 삶을 살 수 있다!
남편에 대한 의존도를 낮추고 자신의 삶을 자유롭게 설계하고 행동할 수 있다. 어디를 가든, 누구를 만나든 신경 쓸 이유가 없다. 하고 싶은 것, 갖고 싶은 것, 가고 싶은 곳을 마음껏 누릴 수 있다. 옷 한 벌, 구두 한 켤레를 쇼핑하더라도 눈치를 보던 세상에서 해방될 수 있다.

세 번째 시댁에 대한 부담이 없다!
명절이나 생신, 제사 등 남편으로 인해 맺어진 시댁에 대한 다양한 관계와 대소사에 대해 신경 쓸 필요가 없다. 시댁이라는 단어 자체가 주는 부담감은 은연 중 우리 마음을 구속하면서 스트레스를 주기 때문이다.

첫 번째 실제로는 불가능하다!

남편을 실제로 없애는 것은 불가능하며, 오히려 현실적인 문제를 야기할 수 있다. 실제로 이혼했던 사람의 사연 중 어떤 여성은 너무나 자유롭고, 속이 시원하다고 하였는데, 어딘가 허전하고, 외롭다는 느낌을 받았다고 하였다. 있으면 괴롭지만 없으면 외로운 상태, 그러므로 근본적인 해결의 방법으로 접근하는 것이 필요하다.

두 번째 경제적으로 어려움을 겪을 수 있다!

남편의 월급이 없는 경우, 경제적으로 어려움을 겪을 수 있다. 경제적 자립이 준비되어 있다면 상관없지만, 그렇지 않다면 미리 준비하는 자세가 필요하다. 경제적으로 종속되지 않는 삶을 살아야 하며, 인간 관계적 가족으로서의 관계를 떠나 경제적으로 자립적인 관념을 갖는 자세도 필요하다. 이를 위하여 부부 관계는 종속의 개념이 아니라 동등의 개념임을 서로가 상기하면서 살아갈 필요가 있다.

세 번째 사회적으로 고립될 수 있다!

주변 사람들의 시선과 비난에 노출될 수 있으며, 사회적 고립을 경험할 수 있다. 남편이 없다는 사실 자체만으로 그렇게 되는 것은 아니다. 하지만 멘탈이 약하면 공격의 대상이 될 때 방어할 힘이 없으며, 스스로 친구나 사회적 관계로부터 단절하는 경우도 있다. 남편이 없는데, 경제적으로까지 어렵다면 사회적 관계를 이어나가는 것 자체보다 생계적 해결을 위한 마음과 시간을 보내는 데도 버겁기 때문이다.

2. 운동을 하라!

운동을 하면 장점으로는,

첫 번째 스트레스가 해소 된다.

운동은 스트레스 호르몬을 감소시키고 엔돌핀 분비를 촉진하여 우울 증상을 완화하는 데 효과적이다. 몸을 움직이는 것 자체가 스트레스 호르몬을 감소시킨다. 땀을 흘리는 격렬한 운동도 좋지만, 산책이나 요가를 통해서도 심신적 안정을 도모할 수 있기에 운동은 활력을 불어넣으며, 새로운 관점에서 바라볼 수 있는 여유를 제공한다.

두 번째 건강을 증진시킨다.

운동은 심혈관 건강, 근력 향상, 면역력 강화 등 건강 전반에 긍정적인 영향을 미친다. 신체가 건강해야 정신도 건강할 수 있다고 하였다. 이는 에너지가 고갈되면 스트레스를 유발하여 모든 것에 대해 부정적인 시선을 갖게 되면서 말과 행동을 짜증스럽게 하게 된다. 건강한 육체에 건강한 정신이 깃들 듯이 운동은 자신감과 함께 자존감도 상승시키는 효과를 발휘한다.

세 번째 자존감을 향상시킨다.

위에서 말했듯이 운동을 통해 목표를 달성하고 건강을 증진시키면서 '나도 해낼 수 있다!'는 자신감이 스스로를 업시킨다. 그러므로 멘탈이 약할 수 있는 순간에도 말이나 행동에 대해 당당하게 대처할 수 있는 힘을 발휘한다. 사람들의 눈치를 보고, '저들이 어떻게 생각할까?' 하는 두려움과 염려에서 해방되어 자기만의 길을 갈 수 있다. 이러한 과정을 통해 자존감은 향상된다.

첫 번째 시간이 부족하다.

바쁜 일상 속에서 운동을 위한 시간을 확보하기 어렵다. 현대인처럼 바쁘게 사는 인류는 이전에는 없었다. 직장생활만 하기도 버거운데, 하루가 다르게 바뀌는 디지털 문명 속에서 배우고, 알아야 할 것은 너무 많다. 신문명의 이기를 모르면 자기계발이나 취미 생활을 떠나 일상생활을 이어나가기도 벅차다. 이러한 가운데 시간을 내어 운동을 하기란 정말 힘들다. 어쩌면 운동은 여유 있는 사람들의 사치품과 같이 느껴진다. 그토록 현대인은 운동과 멀어진 삶을 살아가고 있다.

두 번째 지속성을 유지하기 어렵다.

운동의 효과를 유지하기 위해서는 지속적인 노력이 필요하다. 그런데 작심삼일이라고 6개월 또는 1년짜리 헬스나 요가, PT를 끊어놓고 한두 번 다니고, 그만두는 경우들이 많다. 그만큼 큰 마음과 지속적인 노력 없이는 습관으로 이어지기 어렵기 때문이다. 모든 것은 지속성이 없으면 효과 또한 없기 때문에 잠깐 동안의 경험은 오히려 독이 되어 다시는 그것을 가까이 하려는 노력도 하지 않게 된다.

세 번째 체력이 저하된다.

처음부터 무리한 운동을 하면 부상을 입거나 운동에 대한 흥미를 잃을 수 있다. 처음에는 욕심을 부려 근육을 만들고, 바디 프로필을 찍고, 다이어트와 함께 여름에 수영장이나 해수욕장에서 비키니를 입어보겠다고 도전을 하지만 생각보다 힘들고, 식단 관리도 해야 하며, 시간도 오래 걸리는 것을 알게 되면서 체력 저하로 포기하는 경우가 많다.

3. 글쓰기를 해보라!

글쓰기를 하면 장점으로는,

첫 번째 감정 표현을 편하게 한다.

글쓰기를 하면 자신의 감정을 자유롭게 표현하고 이해할 수 있다. 처음에는 자신의 감정을 글로 표현하는 것도 어렵거니와 글을 쓰는 것도 어렵다. 이는 요령을 배우지 않았기 때문이다. 삶의 모든 배움은 알지 못할 때 어렵다. 하지만 배우고 나면 쉽다. 감정을 어떻게 읽고, 어떻게 표현하는지 다른 사람들의 사례와 예시를 배우면서 점점 표현하기 쉬워진다.

이렇게 대면하기 어려운 자신의 감정과 처음으로 직면하는 경험을 통해 전혀 다른 감각이 살아난다. 삶의 깊숙한 감정의 내면 흐름을 읽어낼 수 있기 때문이다. 이때 감정을 어루만지고, 이해하면서 그 감정을 힐링하고, 치유하는 방법도 쉬워진다. 이처럼 감정을 거울처럼 보듯이 아는 것은 중요하다. 그래야만 그것을 해소하고, 처리할 수 있는 방법도 만날 수 있기 때문이다.

두 번째 스트레스가 해소된다.

글쓰기는 스트레스를 풀고 마음의 평온을 찾는 데 도움이 된다. 글쓰기와 스트레스가 무슨 연결이 될까 하지만, 우리의 정서적 도움을 주는 것은 정신적 안정을 주는 것들을 통해서 온다. 예술이나 문학이 그렇다. 음악을 듣고, 클래식 공연이나 뮤지컬, 콘서트는 마음을 안정시키는 호르몬 분비를 돕고, 엔돌핀의 작용으로 독소를 중화시키는 역할을 한다. 또 아이들에게 동화를 읽어주면 마음이 편안해지고, 잠을 잘 자는 것도 마찬가지다. 독서 치료, 음악 치료, 미술 치료, 드라마 치료들이 있듯이 이러한 정서적인 활동은 그 자체로 사람의 마음을 안정화시킨다.

세 번째 창의력이 향상된다.

글쓰기를 통해 상상력과 창의력을 발휘하고 새로운 아이디어를 얻을 수 있다. 무엇을 생각하고, 연결될 수 없을 것 같은 매개체와 상상력을 발휘하여 의미 있게 연결, 확장하는 작업은, 새로운 의미를 부여하는 창의력의 산물이다.

물과 부드러움 또는 물과 겸손은 전혀 다른 개념의 언어이지만, 물의 특성을 통해 나타나는 개념은 부드러움이나 겸손한 작용을 연상할 수 있기에 연결된 글을 쓸 수 있다. 또 낙엽이나 일몰을 통해 떠나가는 것들에 대한 삶의 이야기, 새싹이나 봄 또는 일출을 통해 희망찬 미래에 대한 글을 연결하여 새로운 의미를 확장, 부여할 수 있다.

이와 같이 사물이나 사건, 대상이나 현상, 환경이나 사람에 대해 보는 관점을 달리 이해하고, 해석하면서 문제나 갈등, 오해와 고민거리를 해결하는데 탁월한 능력을 발휘한다. 왜냐하면 그는 그 현상이나 대상에 대해 전혀 다른 관점으로 바라보고, 해석하여 상대방에게 감정을 빼고, 논리적, 합리적으로 전달할 수 있는 힘을 얻기 때문이다.

이는 아주 중요한 관점이다. 일반적인 사람들은 부정적 감정을 일으키는 말이나 행동에서 반사적으로 반응한다. '네가 화를 냈으니 나도 화를 낸다.' 이는 어쩌면 당연한 것처럼 보인다. 하지만 논리적인 관점이나 합리적인 관점을 배우면, 그런 감정적인 대응으로 따라올 필연적인 결과를 인지하게 된다. '그렇다면 서로에게 더 나은 방법은 없을까?'를 고민하면서 논리적, 합리적, 객관적인 접근을 할 수 있는 사고의 여지를 갖추게 된다.

이는 삶을 다른 관점으로 보게 되면서 전혀 다른 차원의 삶이 있음을 발견한다. 무수한 사람들이 이렇게도 살 수 있는데, 저런 선택을 하므로 스스로 몰락의 길을 걷는 사람들이 많다. 이는 부와 권력, 명예를 가진 사람일지라도 허무한 선택을 하는 사람들을 보면 그렇다. 안타까운 선택을 하는 사람들의 경우가 다른 선택의 여지가 없는 줄 알기 때문이다. 만약 자신을 위한 훨씬 더 좋은 선택의 기회가 있다는 것을 안다면, 그들은 하나같이 더 나은 선택을 하였을 것이다.

바로 글쓰기는 이런 것을 명료하게 이해하고, 볼 수 있으며, 스스로 더 나은 선택과 기회를 자신에게 제공하는 방법을 쌓아가는 길이며, 도구다.

네 번째 어디에서든 다양한 접근이 가능하다.
글쓰기는 시간과 장소를 가리지 않고 할 수 있다. 책상에서 노트나 컴퓨터를 이용하여 할 수 있으며, 이동 중이나 대중교통을 이용하면서도 스마트폰을 통하여 기록할 수 있다. 이런 장점은 생각이 떠오를 때 또는 영감이 떠오를 때 바로바로 기록할 수 있다는 점이다. 바쁜 와중일 때는 떠오른 단어와 한 문장의 핵심 주제를 스마트폰에 메모하였다가 다시 시간 날 때 그 내용을 완성하는 방식을 활용하면 좋다.

스마트폰 메모장, 자신만의 개인 밴드, 개인 카톡방을 활용하여 글을 기록하고 저녁이나 주말에 1~2시간 차분하게 차를 마시며 글을 쓰다 보면, 자신의 감정을 들여다보기 쉽고, 짜증과

불만, 스트레스로 불쾌하고 민감해진 감정을 어루만지기 쉬우면서 글로 표현하기가 훨씬 수월해진다.

글쓰기를 하면 단점으로는,

첫 번째 감정적 표현이 어렵다.
글쓰기를 통해 자신의 감정을 표현하는 과정에서 처음으로 자신의 감정과 마주하다 보면 감정적으로 어려움을 겪을 수 있다. 너무 이질적일 수 있기 때문이다. 감정이란 그냥 그대로 표현하는 삶만 살아왔다. 기분이 좋으면 좋은 표현을, 기분이 나쁘면 나쁜 표현을 순간순간 반응하듯 살아왔다.

하지만 지나왔던 순간들을 떠올리며 그 감정을 회상하는 가운데 부딪치는 감정은 좋은 부분도 있지만, 아프고 슬픈 부분도 있기 때문이다. 이때 마주하는 감정들은 당황스럽기도 하고, 어색하거나 민망스럽기도 하다. 또 미안하거나 가슴 아프기도 하면서 눈물이 나거나 고통스럽기도 하다. 하지만 이것은 나쁜 현상은 아니다. 자신을 이해하고, 위로해주면서 단단하고, 성장을 위한 인격적 성숙으로 멘탈을 강화하는 시간으로 나아간다.

두 번째 평가에 대한 두려움이다.
다른 사람들의 평가에 대한 두려움으로 인해 글쓰기를 시작하기 어려울 수 있다. 긍정적 감정 표현은 괜찮지만, 부정적인 감정 표현은 타인의 시선을 많이 의식한다. 자존감이 높은 사람은 타인의 시선에 대해 의식하기보다는 자신에 대한 멘탈이 강하기에 감정을 드러내는 것을 두려워하지 않는다. 그것이 비록 부정적 감정일지라도 말이다.

육체적 상처를 감춘다고 치료되는 것은 아니듯이 정신적, 심리적 상처 또한 표현하거나 직면하지 않으면 트라우마로 잠재되어 있게 된다. 이런 상태는 스트레스를 받거나 어떤 문제가 발생했을 때 다시 강하게 드러난다. 결국 그러한 감정은 치유를 받을 때 회복될 수 있다. 글쓰기를 통한 자신의 감정과의 만남은 처음에 어색하고, 두렵기도 하지만 어쩌면 그것은 상처를 치유하고 회복을 위한 과정이며, 여러 치유 방법 중 하나일 뿐이다.

세 번째 시간을 투자해야 한다.

글쓰기에 시간을 투자해야 하며, 꾸준히 노력하지 않으면 원하는 결과를 얻지 못할 수 있다. 어떠한 것도 노력하지 않고 얻을 수 있는 것은 없다. 누구나 필요성을 느낄 때 관심을 갖고, 찾아보면서 시간과 비용을 투자하게 된다. 그와 같은 행동은 더 나은 것을 얻고자 하는 희망과 의지가 작용하기 때문이다.

진정으로 바라는 것이 있다면 그것에 대해 관심을 가져라! 그다음 그것이 무엇인지 찾아보라! 그리고 그것이 진정으로 자신에게 도움이 된다면 시간과 비용을 투자하라! 이것은 모든 분야, 모든 사람에게 적용되는 일반적인 게임의 룰이다. 재능이나 자격증을 배우는 것과 같이 주부 우울증이나 행복한 삶에 대한 방법적 접근도 마찬가지다.

글을 쓰는 이유

상태 인식 ▶ 인식 전환 ▶ 언어 변화 ▶ 행동 변화 ▶ 내재화

글을 쓴다는 것은 그 글에 나타난 생각이나 감정을 통해 자신 또는 타인의 상태를 분석하고, 인식하는 과정이다. 단번에 되는 것은 아니지만 빠른 시간에 그것이 가능하며, 전문가의 분석과 코칭을 거치면 훨씬 수월하면서 빠를 수 있다.

다음으로 상태를 인식하고 나면, 어떤 부분을 어떤 방법으로 전환할 수 있는지 인지하게 된다. 이는 심리적으로 아이가 아장아장 걷는 데서 시작하여 걷고, 뛰는 단계로 나아가는 것과 같다. 걸음마는 달리기를 위한 과정이듯 인식은 심리적으로 관점을 다르게 볼 수 있는 전환을 제공한다.

인식이 바뀌게 되면 언어가 바뀌게 된다. 습관적, 감정적으로만 반응하던 언어는 톤이 부드러우면서, 따뜻한 언어를 논리적, 합리적으로 자유롭게 구사하는 단계로 나아간다. 이런 편안한 사고의 과정을 거치지 않고, 감정적으로 몸이 먼저 분노와 짜증을 유발함으로, 오히려 문제를 해결할 수 없는 상태로 확산시키는 부분을, 자유자재로 조절할 수 있게 된다. 이는 충분한 배움과 연습을 통해 누구나 가능한 부분이다.

언어가 바꾸면 행동은 자연스럽게 따라간다. 여유와 편안함을 가지고, 한 번 더 생각하는 자세를 가지며, 바로 대응하기 보다는 어떻게 하면 더 나은 방식으로 이 문제를 해결할 수 있을까 생각하고 접근하게 된다. 관점이나 접근 방식이 달라지게 된다. 문제가 발생한 결과에 집중하지 않고, 왜 그런 문제가 발생하였는가 하는 원인과 이유를 찾으려 하면서 그것을 해결할 수 있는 방법을 찾게 된다. 여유와 양보, 타협과 조율, 효율과 서로에게 더 나은 이익을 찾아낼 수 있는 변화적 행동을 구사할 수 있게 된다.

이는 놀라운 변화이며, 놀라운 접근 방식이다. 예전에는 전혀 생각해보거나 시도하지 않았던 사고의 전환이며, 행동의 변화를 통한 선택력의 강화다. 이것이 바로 삶의 내공을 쌓는 것이며, 이렇게 단단하게 형성된 인격은 멘탈의 강화와 함께 자존감의 상승을 가져온다. 이렇게 반복된 연습으로 몸에 배이도록 습관으로 형성되는 것이 내재화이다. 이때가 되면 전혀 다른 차원의 삶을 살아간다.

결론 : 남편을 없애라, 운동을 하라, 글쓰기를 해보라

위의 3가지 방법은 모두 장단점이 있으며, 어떤 방법이 가장 효과적인지는 개인의 상황과 성격에 따라 다를 수 있다. 우울증 증상을 완화하기 위해서는 전문가의 도움을 받는 것도 좋은 방법이다.

추가적으로 고려할 사항 :

1) 가족이나 친구와의 대화

자신의 어려움을 가까운 사람들에게 털어놓고 조언을 구하는 것은 큰 도움이 될 수 있다. 아무에게나 털어놓을 수는 없지만 그래도 신뢰할 만한 사람에게 속마음을 나누는 것은 그 자체로 힐링이 된다. 힘들 때는 혼자 해결하려는 것보다는 가끔 주변을 살펴보는 것도 필요하다.

2) 취미 활동

좋아하는 취미 활동을 통해 스트레스를 해소하고 즐거움을 느낄 수 있다. 취미란 타의에 의해 하는 것이 아니라 자의에 의해

하는 것이기에 그 자체로 즐거움과 기쁨을 유발한다. 가끔은 시간과 비용을 들여서라도 자신을 위한 기쁨의 시간, 곧 취미 활동을 즐길 필요가 있다. 이는 숨막히는 답답함에서 잠시 자신에게 여유를 가지고 휴식을 주는 것과 같다. 이를 통해 생각할 여유를 가지고, 다른 방식의 해결방식이나 문제의 근원적인 이유를 찾을 수도 있다.

3) 명상이나 요가

명상이나 요가는 마음을 진정시키고 스트레스를 해소하는 데 도움이 될 수 있다. 감정적인 스트레스는 바이오리듬과 같다. 하나의 흐름이면서 과도하게 부풀려진 풍선과 같다. 이를 누그러뜨리는 것은 차분하게 그 감정을 가라앉히는 접근 방식이다. 명상이나 요가는 그런 감정을 풀어주고, 해소하면서 힐링할 수 있는 좋은 도구라고 할 수 있다.

주의 :

우울증 증상이 심각한 경우 자살 충동을 느낄 수 있다. 이런 경우 즉시 전문가의 도움을 받아야 하며, 진단에 따라 약물치료가 필요할 수 있다. 무조건 약물치료가 안 좋은 것은 아니며, 상태와 진단에 따라 상담과 코칭, 운동과 약물치료를 적절하게 활용하는 것은 더 나은 삶을 위해 효과적이다.

제2장
행복해지는 삶의 유형 5가지
; 결과적 관점

1. 타인 경청형
2. 자기 계발형
3. 지적 관찰형
4. 문제 인식형
5. 자기 주도형

1. 타인 경청형

경청의 첫 단계는 우리가 경청하지 않는다는 것을 의식하는 것이다. 경청이란 겉으로 나오는 말에 귀를 기울이는 것이 아니라 마음으로 하는 말을 듣는 상태다. 진정으로 마음이 하고 싶은 말을 듣기 위해 노력하는 것인데, 바쁜 현대인은 귀 기울여 듣는 것이 아니라 흘려듣는다.

그러므로 상대방이 상처를 받는다.

듣지 않는 것처럼 상대의 마음을 고통스럽게 하는 행동은 없다. 대충 듣거나 흘려듣는 것은 상대방을 무시하는 행위이기 때문에 기분이 상한다. 또 대화 중 말을 끊고, 끼어드는 것처럼 기분 나쁜 것은 없다. 상대방이 충분히 말하도록 경청하면 솟구친 분노까지도 누그러뜨릴 수 있다.

<홀로 있어도 행복한 존재>

<군중 속의 고독한 존재>

듣는다는 것은 관심이다. 관심은 배려이며, 자신을 사랑하고 또 존중하고 있음을 표현하는 행위이기 때문에 기분을 좋게 만든다.

우리는 홀로 있다고 불행한 존재가 아니고, 군중 속에서 많은 사람과 연결되어 있다고 행복한 존재가 아니다. 우리가 함께 있어도 외로운 것은 진정한 소통을 원하고 있다는 신호다. 그대가 곁에 있어도 외로운 것은 진정한 소통을 하지 않고 있다는 의미다.

우리가 마음이 맞는 친구와 소통을 할 때 행복한 느낌을 받는다. 이렇게 잘 맞는 대화를 우리는 티키타카가 잘 되는 사이라고 한다. 그만큼 소통은 경청을 필요로 한다. 경청을 잘하고 있다는 것은 상대방을 마음으로 들여다보고 관찰을 통해 관심을 표명하고 있다는 의미다. 이러한 관심이 배려이기에 서로의 삶은 풍요로워지며 행복해진다.

2. 자기 계발형

 자기를 개발하는 사람은 성장을 위해 앞으로 나아가는 유형이다. 여기서의 자기 계발은 재능이나 기능적 차원의 계발을 말하는 것이 아니라 내재적인 분야를 말한다. 물론 재능적 차원을 제외하는 것이 아니라 그것은 하나의 부차적인 요소다. 그것으로 인해 에너지를 공급받는 열정과 성취, 자기 효능감 차원에서는 좋다. 다만 여기서의 자기 계발이란 내면적인 성장을 위해 그런 것들을 하는 행위를 말한다.

 내면적인 차원의 성장이란 무엇일까?

 삶은 외적 형태의 생계를 위한 직업적 접근과 내적 형태의 행복을 위한 인문적 접근이 있다. 모든 기술이나 재능, 지식은 생계를 위한 직업적 접근이라고 할 수 있다. 인간이라면 누구나 먹고살아야 하기 때문이다.

 하지만 인간은 먹고살기 위해서만 살아가는 존재는 아니다. 좀 더 가치 있는 삶을 위해 살고자 하는 내재적, 의식적 욕망을 누구나 가지고 있다.

 그러므로 이런 가치와 삶의 의미를 만들어 가는 것은 경쟁이나 직업적 만족으로 얻어지는 것이 아니라 의미 있고, 보람 있는 일을 할 때 인간이라는 존재적 가치를 발견한다.

 그러한 보람 있는 일을 찾아내기 위해 자기를 계발하는 일을 멈추지 않고 도전하는 사람들, 바로 그러한 사람들이 행복해지는 삶을 살아가는 유형이다. 이들은 이러한 도전을 통하여 자기를 계발하고, 자신의 진정한 정체성을 발견하면서 자아실현을 향해 나아간다.

3. 지적 관찰형

지적 호기심이라는 말이 있다. 무엇을 배우면 인간은 그것의 효용성을 알게 된다. 그것으로 인해 무엇인가 편리하고, 쉬우면서, 이익을 볼 수 있다는 개념을 이해한 것이다. 그로 인하여 인간은 지적 호기심의 확장성을 가져온다.

"평생 지식과 담쌓고 살다가, 일당백 보면서 매일 책 읽기를 시작한 지 이제 2년 됐는데요. 처음 몇 달은 리얼 죽을 뻔했는데.. 이오니아, 밀레토스, 아르케 등등 쏟아지는 명칭들을 익히 알고 있는 내가... 나 자신이 너무 대견합니다. 예전 같았으면 듣다가 포기했을 텐데, 이제는 정보를 접할 때도 버거운 느낌은 없어서 그게 참 뿌듯합니다. 우리 엄마는 무지렁이를 낳고, 일당백은 나를 지렁이로 키워주는구나."

위 사람은 철학을 배우는 지적 호기심을 통하여 자기 자신의 효용성을 발견한 사람이 쓴 댓글이다. 이러한 자기 만족감과 성취감을 자기 효능감이라 한다. 한 번 이런 경험을 하게 되면 지적 깊이에 대한 경험에 목마르고, 이러한 안목에 눈을 뜨게 되면 그의 인문학적 관점이 바뀌게 된다.

단순히 직업과 생계로서의 삶이나 오락적 취미에 흠뻑 빠져 살아가는 것이 전부라고 생각했던 생활에서 지적 관찰을 통한 또 다른 세계를 경험한다. 이런 경험을 통하여 훨씬 풍성한 삶의 세계가 있음을 깨닫는 동기가 된다. '갈매기의 꿈'에서 조나단이 그러한 단계로 나아가는 삶을 보여준다.

위의 사례와 같이 무엇이든 단번에 이해하거나 습득할 수 있는 것은 드물다. 반복하여 듣고, 배우면서 이해하다 보면 본래

의도한 깊은 내면의 의도와 원리를 이해하게 된다. 언어와 원리, 전문적 용어에는 함축된 내용이 들어 있으며, 또 그와 연결된 많은 양의 정보들이 전문 용어로 나열되어 있기 때문에 여러 번 보고, 듣고, 이해하는 과정을 통하여 자기 것이 된다.

생각을 생각하는
철학

양자 얽힘이나 양자 도약, 방어기제와 확증편향, 인지부조화와 전이, 대차대조표와 손익계산서, 익금산입과 손금불산입, 정언명법과 가언명법 등은 양자물리학과 심리학, 회계학과 철학에서 사용하는 전문 용어들이다. 우울증을 해결하는 데에도 전문 용어들이 있으며, 그것을 해결하는 방법 또한 전문적 접근 프로세스가 있다.

모든 지적 정보에는 원리와 법칙이 있고, 위와 같은 전문 용어들이 있으며, 그것을 배우고 이해하는 데는 배움의 시간이 필요하다. 또 그 가운데 부딪히는 어려움과 문제들이 있지만, 그것을 풀어내는 방법 또한 언제나 존재한다.

이와 같이 삶을 살아가는 부분에서도 고민이나 문제들이 항상 발생하지만 그것을 해결해낸 사람들의 삶 또한 항상 존재했다. 그들이 먼저 걸어간 방식의 길을 배우면 되는 것이다.

4. 문제 인식형

문제를 빨리 인식하는 것은 지금 현재 무엇이 문제인지 발견하였다는 뜻이며, 그때 그것에 가장 합리적인 문제 해결의 방안을 도출하기 쉽다는 의미다. 문제를 해결하기 보다는 지금 상황이 문제인지 아닌지도 모르는 사람들이 태반이다. 그렇기에 그 문제가 나중에 확산되어 더 큰 화를 불러오기 때문이다.

폭언, 갈등, 싸움, 폭력, 별거, 이혼, 법정 싸움 등 이러한 문제들이 발생하기 전에 이미 누적되어 온 상황들이 많다는 의미다. 단 한 번의 싸움으로 위와 같은 사례를 발생하지는 않는다. 대부분 쌓이고 쌓여서 참을 수 없기에 폭발하는 것이다.

그와 같이 쌓이지 않고 미리 파악할 수 있는 정신적 멘탈 관리를 잘하는 사람들이 문제를 빠르게 인식하는 사람들이다. 센스가 빠르다든지, 촉이 남다르다든지, 눈치가 빠르다든지, 개념이 있다든지 하는 것은 바로 문제를 빠르게 파악하는 유형이라는 의미다.

먼저 긍정적인 변화를 촉진할 수 있는 촉매제가 된다. 문제를 일찍 발견함으로써 더 큰 어려움으로 번지기 전에 해결할 수 있는 기회를 얻는다. 이는 개인적인 관계, 경력, 재정 등 다양한 측면에서 긍정적인 결과를 초래할 수 있다. 또 문제를 빨리 인식하면 상황을 분석하고, 효과적인 대처를 위한 전략을 수립하여 적절한 해결책을 찾는데 시간을 확보할 수 있다. 이는 스트레스와 불안감을 줄이고 문제 해결 능력을 향상시키는데 도움이 된다. 잠재적인 문제를 빠르게 인식하는 것은 새로운 기회를 발견하고, 긍정적인 변화를 이끌어낼 수 있는 능력을 제공한다.

다음으로 빠른 문제 인식을 통해 자신의 가치관, 우선순위, 감정을 더 잘 이해할 수 있다. 이는 개인적인 성장과 발전에 필수적인 자기 인식을 향상시키는데 도움이 된다. 또한 문제를 빨리 인식하고 해결하는 경험을 통해 어려움에 직면했을 때 탄력적으로 대처하는 능력을 키울 수 있다. 다양한 문제에 직면하고 해결하는 과정에서 논리적 사고, 분석 능력, 의사 결정 능력 등을 향상시킬 수 있다. 이는 개인적인 삶뿐만 아니라 직업적인 삶에도 도움이 된다.

마지막으로 문제를 빨리 인식하고 효과적으로 해결함으로써 오해와 갈등을 예방하고 주변 사람들과의 관계를 개선할 수 있다. 문제에 직면했을 때 솔직하고 투명하게 소통하는 것은 주변 사람들과의 신뢰를 구축하는 데 도움이 되며, 공동의 문제를 해결하기 위해 협력하는 것은 팀워크와 협력 능력을 향상시킨다. 물론, 문제를 빨리 인식하는 것이 항상 긍정적인 결과를 가져오는 것은 아니다. 지나치게 부정적인 생각에 사로잡히거나 문제에 대한 과도한 스트레스를 경험할 수도 있다. 하지만 문제에 대한 인식을 긍정적인 변화와 성장의 기회로 활용한다면 행복하고 만족스러운 삶을 살 수 있는 핵심적인 요소가 될 수 있다.

5. 자기 주도형

자기 주도적으로 산다는 것은 독선적이거나 독고다이처럼 산다는 의미가 아니다. 이는 명료한 자기 정체성을 가지고 있지만, 타인과의 관계에서 올바름의 방향으로 나아가면서도 논리적, 합리적 조율과 타협, 협력과 더 나은 방향으로의 가치관이 정립되어 있다는 의미다.

자기 주도로 살아가는 힘이 없을 때 타율적, 수동적, 부정적으로 살아가기 쉽다. 스스로 무엇을 선택하거나 거부할 주도적인 내적 힘이 부족하기 때문에 타인이나 외부적 환경에 의해 끌려다니게 된다. 이를 극복하기 위해서는 자기 주도형의 삶을 알고, 배워야 한다.

자기 주도형의 사람은 다음과 같은 특징을 가지고 있다.

첫째 스스로 목표를 설정하고 이를 달성하기 위해 노력하면서 삶에 의미와 방향성을 가지고 있다. 이는 자아실현을 통한 만족감과 성장에 도움이 되기 때문이다. 이들은 타인이나 외부 요인에 의해 좌우되지 않은 삶으로 주체성을 높이며, 이로 인하여 자신감과 책임감을 향상시킨다.

둘째 스스로 문제를 해결하고, 어려움을 극복하려고 노력하면서 문제 해결 능력과 회복 탄력성이 높다. 회복 탄력성이 높으면 심리적인 갈등이나 감정으로 상처를 받았을지라도 빠르게 회복하는 능력이 있다. 이는 삶의 변화와 어려움에 직면했을 때 긍정적이고 탄력적으로 대처할 수 있는 능력을 키울 수 있다.

셋째 스스로의 행동에 책임을 지고, 주변 사람들과의 약속을 잘 지킨다. 이는 신뢰를 구축하고 관계를 강화하는 데 도움이 된다. 또 다른 사람들의 의견과 가치관을 존중하고 배려하는 태도는 건강하고 긍정적인 관계를 형성한다. 이를 통하여 공동의 목표를 달성하기 위해 협력하고, 효과적으로 소통하는 능력이 강화된다.

자기 주도적인 삶을 살아가는 것은 이기주의나 무책임한 행동을 의미하는 것이 아니다. 주변 사람들과의 관계와 사회적 책임을 존중하는 가운데 자신의 목표를 추구하는 유형이다.

주의할 점은 현실적인 목표 설정과 계획적인 실행이 중요하며, 지나치게 높은 목표를 설정하거나 비현실적인 계획을 세우면 오히려 좌절감과 스트레스를 유발할 수 있다. 삶의 변화에 유연하게 대처하고 필요 시 방향을 조정할 수 있는 능력이 중요하다. 세상은 끊임없이 변화하기 때문에 자신의 계획에 너무 집착하지 않고, 상황에 맞게 적응해야 한다.

제3장
마음의 거울 서비스 글쓰기 재해석
; 과정적 관점

1. 에너지 흐름도
2. 인지 과정 재해석

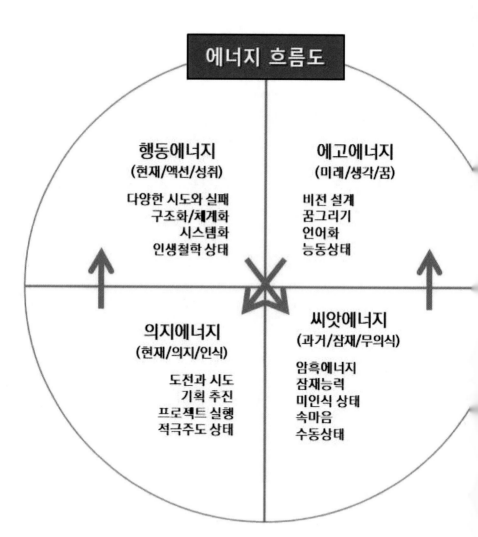

<에너지 흐름도>

에너지는 위와 같이 4가지 단계로 흐른다.

씨앗에너지에서 에고에너지로, 다시 의지에너지에서 행동에너지로 흐른다. 이는 다시 씨앗에너지로 들어가서 현상적 나타남의 실현을 위한 에너지가 된다. 씨앗에너지와 의지에너지는 밑에 잠재되어 내재된 상태의 에너지를 품는 것이며, 에고에너지와 행동에너지는 외형적으로 발현되는 에너지라고 볼 수 있다.

에너지의 흐름이란 우리가 무엇을 받아들여 내부적인 흐름을 통하여 외적 행동의 실현까지 작동하는 방식을 말한다. 이는 이성적 생각을 담당하는 사고 작용과 감성적 감정을 담당하는 마음 작용이 작동하여 자아적 존재가 말과 행동으로 나타나는 현상이다.

우리는 우리도 모르게 순간적으로 무엇을 선택하고, 말하고, 행동하는 것으로 생각하지만, 그것이 나오기까지 과정을 도식화하여 관찰해보면 재미 있는 현상을 발견한다. 마치 컴퓨터 프로그램처럼 또는 수학 공식처럼 그것이 작동하는 연산 방식이 있음을 알게 된다.

"우리로 하여금 무엇이 그것을 선택하도록 하는가?"

"뇌는 슬로 비디오로 관찰해보면 무언가를 선택하는 것이 아니라 어떤 체험을 위하여 어떤 데이터를 가져와서 적용할 것인가 그것을 고르는 과정이 있다. 그러므로 인간은 그 과정을 조금만 더 관찰하면 훨씬 나은 선택을 할 수 있는 힘을 가지고 있다."

위와 같이 감정이나 생각은 우리가 대상이나 사건, 상황이나 사람에 대하여 반응하는 습관적 반복 선택이다. 지금까지 살아온 방식을 그대로 반복하며 살아가고 있다. 다른 선택은 거의 하지 않는다. 저 에너지 흐름도에 의하여 '저 사람은 저 선택을 할 것이다!'라는 결과를 예측할 수 있다는 말이다. 사람은 오래 살다 보면 오랜 습관에 의해 프로그램화된 기계와 같아진다.

감정은 'Yes' 또는 'No'와 같은 무엇에 대한 선택이다. 기분 좋으면 '예스', 기분 나쁘면 '노'라고 반응하는 센서와 같다. 오감으로 들어오는 감각을 통해 '그것이 그런 기분이다'라고 마음이 반응해 주는 작용일뿐이다.

이때 사고의 작용을 일으키는 이성은 '저 사람이 나에게 기분 나쁜 말을 했으니 너도 같이 반격해!'라고 생각하면서 적절하게 대응할 말을 고른다. 그리고 그가 강자이면 참고, 그가 만만하면 기분 나쁜 표현을 하며, 그가 나보다 약자이면 짓밟아 버린다. 조금 강렬하게 표현했지만 내재된 심리로 보면 그렇다는 것이다. 물론 겉으로도 그런 사람들이 있지만.

만약에 상대방이 기분 좋은 말을 했다면, '저 사람이 너를 존중하면서 칭찬을 해주네. 그럼 너도 감사의 표현을 해야지!'라고 생각하면서 적절하게 대응할 말을 고른다. 그리고 그가 강자이면 더 높은 칭찬과 존경을 보내고, 그가 만만하면 기분 좋은 표현을 하거나 미소지으며, 그가 나보다 약자이면 그냥 당연하게 받아들인다.

이렇게 마음은 감정이 어떤 상태로 나에게 그 느낌인지 알려주는 센서이며, 사고는 이성이 그 마음의 정보를 어떻게 해석하여, 어떻게 대응할지 정보처리를 하는 프로세스다.

이렇게 지난한 과정을 거치지만, 반복적인 학습에 의해서 순간적이면서 반사적으로 반응한다. 그래서 무의식적인 작용이다. 의식이 인지의 영역에서 재해석하는 과정을 거치지 않고, 습관적으로 행동하기에 문제가 많이 발생한다. 사람들이 말하고, 행동하고 나서 후회하는 일이 대부분 이러한 현상 때문이다.

우리의 모든 말과 행동에는 두 가지 형태의 에너지만 존재한다.

겉으로는 아무리 수려한 미사여구를 쓸지라도 그 이면에는 전혀 다른 에너지가 내재되어 있을 수 있다. 에너지는 긍정적 에너지와 부정적 에너지 두 가지 형태만 존재한다. 겉으로는 인지하지 못할지라도 앞의 감정 센스 작용처럼 기분이 나쁘게 느꼈다면 그것은 부정적 에너지를 담은 것이요 기분이 좋게 느꼈다면 그것은 긍정적 에너지를 담았다는 의미다.

상대에 대한 좋지 않은 에너지를 씨앗에너지로 심었다면, 에고에너지는 이미지화를 통한 부정적인 상태의 이미지를 상기한다. 이 에너지는 의지에너지를 통하여 그것을 현실로 액션을 취할 것이냐 아니냐를 취사 선택한다. 상대방이 강자냐 동등하냐 약자이냐에 따라 그 의지의 선택은 다르게 구현된다.

상대에 대한 좋은 에너지를 씨앗에너지로 심었다면, 에고에너지는 이미지화를 통한 긍정적인 상태의 이미지를 상기한다. 이 에너지는 의지에너지를 통하여 그것을 현실로 액션을 취할 것이냐 아니냐를 취사 선택한다. 상대방이 강자냐 동등하냐 약자이냐에 따라 그 의지의 선택은 또 다르게 구현된다.

이렇게 작동하는 에너지의 흐름은 이제 하나씩 몸의 세포 시스템에 내재화되면서 누적된다. 반복에 의해 이제 그 대상을 만나면 같은 방식으로 작동한다. 이것이 습관이며, 무의식적으로 연결된다.

하지만 이것은 성숙하지 않거나 의식화되지 않은 사람의 자동 반사적 시스템이며, 인격적 성숙을 이루었거나 의식이 매 순간을 알아차림의 상태로 끌어올린 사람들은 전혀 다르게 행동한다.

심리학이나 철학, 코칭은 이러한 과정을 도식화, 구조화, 이론화한 학문이며, 체계적인 언어를 통하여 분석, 연구, 해결 방법까지 논리적, 합리적으로 완성한 시스템이다.

그러므로 전문가들은 이러한 현상이나 사건, 결과를 보면 그것을 언어로 재해석이 가능하다. 어떠한 원인으로 인하여 내재적 심리의 왜곡을 통하여 그러한 결과들이 도출되었는지 비유와 사례, 이론과 이해하기 쉬운 해석을 통하여 그것을 설명할 수 있다.

수학이나 과학을 배우지 않으면 유치원생은 그것을 풀이할 수 없듯이, 왜곡된 사람들의 사건이나 문제, 갈등이나 고민은 스스로 이해하거나 해결할 수 없다. 그러나 전문가들이 보기에는 단순하며, 수학 공식과 같이 해결의 공식을 제공할 수 있다. 대입하여 푸는 것은 스스로에 의한 쉬운 선택일뿐이다.

심리 분석 방법들이 그러한 도구들 중 하나이다. 분석을 통해 다음 단계로 나아간다.

그와 마찬가지로 글쓰기를 하면 내재된 심리의 흐름도를 읽을 수 있다. 말 속에 그 사람의 인격이 담겨 있다고 하는 것처럼, 한 사람의 말과 글 속에는 그 사람의 감정과 사상이 담겨 있다.

그러므로 글은 내면을 읽는 거울과 같은 도구가 된다. 문자적으로만 읽으면 다 이해되지 않은 부분들이 심리적, 철학적 분석을 통하여 재해석된 속마음의 의도들을 인지하면서 어디서부터 문제가 일어났으며, 어떠한 과정을 통해 그것을 접근하고, 해결할 수 있는지 이해할 수 있게 된다.

이것이 에너지 흐름도를 통하여 마음이 어떻게 작용하는지, 왜 그런 감정이 일어나는지, 생각은 또 어떤 판단을 내리고 있는지, 그 판단을 통하여 자아는 어떤 선택을 하고, 어떤 액션을 취하는지 명료하게 인지할 수 있게 된다.

부정적인 에너지와 긍정적인 에너지가 어떻게, 무엇으로 인해 흐르는지 그 과정을 명료하게 인지해야 그것에 맞는 대처를 할 수 있도록 재해석 할 수 있다. 원인을 알지 않고는 사후 대처만 가능하기에 똑같은 일들이 반복된다. 하지만 원인을 명확하게 파악하면 근본적인 해결이 가능하다.

무엇을 아는 것이 원인을 아는 '왜'에 해당하며, 어떻게를 아는 것이 그것을 해결하는 과정으로 '방법'에 해당한다. 이제 인지 과정을 위한 재해석에 대해 알아보자.

2. 인지 과정 재해석

인지하기 위해서는 재해석이 필요하다.

 여기서 인지를 한다는 의미는 어떤 정보를 듣고 기억하여 알고 있다는 의미와는 전혀 다르다. 알고 있다는 것은 기억된 정보를 말한다. 그러므로 강의를 듣고, 설교를 듣고, 책을 읽어서 알게 된 정보들은 모두 기억된 정보의 앎이다.

 인지된 앎은 개념이 전혀 다르다.
 이는 정보를 듣고 나서 자신의 언어로 명료하게 이해하여 저장된 기억이다. 한 번 더 재해석하는 과정을 거쳐서 넘어온 정보라고 할 수 있다. 이는 체험된 지식과는 별개다. 이해된 정보이기 때문에 사고의 영역이다.

 우리가 무엇에 대하여 1차적 지식을 접하고 저장한 후, 2차적 가공을 통해 이해할 때 '아! 그것이 그런 내용이었어!' 하고 깨닫는 알아차림의 과정이라고 말할 수 있다. 이때만이 그 정보에 대해서 정확한 이해를 한 것이다. 이 지식이 목차 앞에 써있는 '자아실현의 8단계'에서 2단계의 지식이다. 곧 타인의 지식이 아닌 나의 지식으로 흡수된 단계다.

 우리가 사람들과의 대화에서 오해와 왜곡, 갈등과 싸움이 일어나는 많은 문제들이 바로 이런 동일한 정보에 대하여 다르게 사고의 개념을 가질 때 일어나는 '불통'이라고 볼 수 있다. 그러므로 문제는 해결이 되지 않고, 오히려 불화를 증폭시켜 버린다. '아! 그렇구나!' 하는 알아차림이 그래서 중요하다. 모든 해결이 여기에서 이루어지며, 모든 문제가 여기에서 발생한다.

그래서 이 단계의 지식을 불교에서는 '알아차림'이라 표현했고, 심리학에서는 '인지'라 했으며, 인문학에서는 피드백, 인식, 관찰, 사색이라 했고, 요가에서는 명상과 침묵을 통해 이 지식을 습득할 수 있다고 했다. 철학에서는 사유를 통한 '지혜'라 했으며, 성경에서는 '되새김'이라고 했다. 지식을 곱씹고 되새길 때만이 진정한 자기 지식으로 흡수할 수 있기 때문에 되새김의 중요성을 강조하였다.

나는 이런 인지의 과정을 '재해석'이라 표현한다.

어떻게 표현하든 의미는 비슷하다. 그러한 과정이 성숙하고, 행복하면서 올바른 삶을 살아내기 위해서는 반드시 필요하기에 각자의 언어를 통하여 표현한 것이다. 받아들인 정보에 대해 자신만의 '이해의 언어'로 재해석하여 기억, 저장될 때만이 문제가 발생할 때 왜곡되거나 결정장애를 일으키지 않고 올바른 선택을 할 수 있는 선택력, 문제해결력이 증가하기 때문이다.

많은 사람들이 타인에게는 조언을 잘한다. 하지만 막상 자신에게 문제가 발생하면 선택 장애가 발생하면서 해결하지 못한다. 이것이 기억된 정보로 알고 있기 때문에 내공이 없는 것이다. 남의 일은 그 선택의 결과에 대해 책임이 없다. 하지만 실제 자신이 그런 상황에 처하게 되면, 그 선택으로 인하여 따라올 결과, 곧 피해나 손해, 저항이 두렵기 때문에 결정장애가 발생한다.

그 두려움은 눈앞에 닥칠 강력한 저항에 대한 두려움, 손해를 볼 수 있는 피해에 대한 두려움, 상호 신뢰 관계에 금이 갈 수 있다는 두려움 등등으로 인하여 선택하지 못하거나 경제적, 감정적 상처를 받으면서 스스로 피해를 보는 쪽을 감수한다.

이는 올바른 삶에 대한 가치관과 장기적으로 서로에게 더 좋은 미래적 관계에 대해 인지할 수 있는 안목이 부족하기 때문이다. 그러나 기억된 정보에 대해 명료하게 인지된 '내 지식'으로 내공이 쌓이면, 선택에 대하여 두려움이 사라진다.

글쓰기는 자신의 내재된 정보를 볼 수 있도록 사건의 1차적 정보를 제공한다. 이를 통하여 2차적으로 가공하는 재해석의 과정을 거치면서 실체와 직면한다. 이때 사건의 본질을 꿰뚫어 보는 분석이 이루어진다.

공자는 이를 '일이관지(一以貫之)'라 했다. 본질을 꿰뚫어 알면 모든 것은 하나로 통한다는 의미다. 본질, 곧 근원적인 요인을 아는 것이 그만큼 중요하다.

어떤 원인으로 왜 그렇게 되었으며, 그것을 해결하는 방법들이 무엇이 있는지 찾을 수 있게 된다. 물이 배수관 어디에서 새는지 알 때 고칠 수 있듯이 어디에서 문제인지 알 수 없을 때는 손을 쓸 수 없다.

그러므로 글을 쓰고, 피드백을 위한 재해석의 과정은 우울증이 근본적으로 어디에서 무엇으로 인해 왔으며, 가장 좋은 해결의 방법은 무엇인지 명료하게 받아들일 수 있는 논리와 합리성을 제공한다.

우리로 하여금 무엇이 그것을 선택하도록 하는가?

"뇌는 슬로 비디오로 관찰해보면 무언가를
바로 선택하는 것이 아니라 어떤 체험을
위하여 어떤 데이터를 가져와서 적용할 것인가
그것을 고르는 과정이 있다. 그러므로 인간은
그 과정을 조금만 더 관찰하면 훨씬 나은
선택을 할수 있는 힘을 가지고 있다."

제4장
주도적 변화 프로세스
; 원리적 관점

1. 아웃풋은 인풋에서

2. 앎은 결과 & 행은 고르는 과정

3. 이유는 원리다

1. 아웃풋은 인풋에서

지식5.0 신인류의 탄생 공식

단계	명령어	핵심 화두	맥락 읽기
1단계	데이터	데이터 저장소(하드웨어, 도서관)	DNA와 경험 또는 지적 정보
2단계	연결	데이터 연결(소프트웨어, 학습)	생각과 의지로 그 데이터에 연결
3단계	연산	프로그램 작동(연산, 재해석)	인식의 단계 / 관찰과 분별의 피드백 자가 발전 & 코칭을 통한 인식 전환의 단계
4단계	선택	시스템 아웃풋(산출 데이터)	의지의 선택 (가슴 지향성, 긍정화, 사랑의 단계로 선택)
5단계	실행	실천적 삶 (action, 현실화, 무의식의 의식화)	산출 데이터 선택 후 현실 체험의 과정
6단계	책임	결과를 깨달음 (result, 열매, 인과의 법칙)	행동에 따른 결과에 책임을 인식하고 배움
7단계	신지식	진화된 지적 데이터	새로운 관념 형성 데이터의 개념 정립 및 구조화
8단계	저장	인류의 지식과 지혜 저장	이론과 학문, 철학으로 도서관 보관
9단계	반복	반복적 습관화 (연습, 롤플레잉, 의식의 무의식화)	위 과정을 반복 학습의 결과 몸이 반사적으로 반응하는 단계로 연습
10단계	신인류	신인류(동기화, 체화, 내재화)	반사적, 반응적, 무의식적으로 사랑과 행복을 실행

6단계 : 옳음과 그름, 좋음과 나쁨, 긍정과 부정, 사랑과 미움, 행복과 불행, 안전과 불안을 점점 알아차림
9단계 : 운전 연습, 자전거 타기, 피아노 배우기, 키보드 타이핑 등의 개념으로 반복에 의한 무의식화
10단계 : 홍익인간, 무조건적인 사랑, 대가없는 사랑, 조건없는 사랑으로 승화

우리는 모두 프리마돈나처럼 주인공이 되고자 한다. 동창회 모임을 가도 서로 자기 자랑하기를 원하고, 다른 친구가 자랑하면 시기, 질투하기 쉽다. 자아란 이렇게 항상 주인공의 자리를 근본적으로 지향한다.

문제는 마음과는 반대로 언행을 그렇게 하지 못하는데 있다. 내향적이거나 소극적인 사람이 아니라면 누구나 이기려고 기싸움을 한다. 신경전이다. 마음은 원이로되 생각같이 되지 않는 것은 자기 주도적인 내공이 없기 때문이다.

내공이 쌓여 내면이 단단한 사람은 웬만한 일에 흔들리지 않으며, 감정 조절을 잘하고, 나서거나 잘난 척하지 않지만 여유가 있다. 이성적으로 논리적이지만 그의 말에는 합리적인 타당성과 근거가 있고, 또 타인의 말에 공감할 줄 알면서, 배려와 이해심이 탁월하다.

마음으로는 원하지만 안 되는데, 반대로 여유 있으면서 흔들림이 없는 사람의 차이는 무엇인가?

그것은 모든 지혜로운 사람들의 글에서 말하였듯이, 심은 대로 거두는 인과의 법칙 때문이다. 부족한 사람도 스스로 선택한 결괏값이며, 내공이 단단한 사람도 스스로 노력한 결괏값이다. 위 소제목처럼 모든 아웃풋은 인풋을 통하여 나온다. 이것은 모든 자연과 기술 문명, 인간 생활의 법칙이다.

컴퓨터는 어떤 데이터값을 입력하였느냐에 따라 그 결과는 그 명령어에 따라 그대로 반영되어 나타난다. 인간은 하나의 거대한 컴퓨터요 프로그램을 통하여 나타나는 프로세스다. 1단계의 데이터는 인간이 받아들인 지적 정보의 총체다. 이를 생각과 감정은 연결하여 자신에게 가장 좋은 이익값을 연산 작용을 통하여 계산한다. 그리고 자신에게 가장 좋을 것 같은 결괏값을 선택하여 실행한다. 그리고 그 실행에 대한 대가를 받는다. 대가는 자신이 한 말과 행동에 대하여 상대방으로부터 돌려받는 반응이다.

"사람이 무엇으로 심든지 그대로 거두리라"고 말했다.

내가 기분 좋은 말을 하면 상대방 또한 기분 좋은 반응을 나타낸다. 그러나 내가 기분 나쁜 말을 하면 상대방 또한 기분 나쁜 반응을 나타낸다. 이것이 본인이 선택하여 심은 것에 대해 거두는 과정이다. 이러한 과정을 통해 어떠한 언행을 할 것인가, 그것에 대한 반성과 성찰을 할 때 책임감을 배운다. 일반적인 사람들은 이러한 피드백이나 되새김하는 과정이 없이 마음에서 잘못을 뭉개버리기 때문에 실수를 반복하는 것이다.

이러한 과정, 곧 스스로 선택한 행위에 대하여 책임을 지고, 돌이켜봐야 하는데, 자신의 실수를 인정하거나 사과하지 않고, 반성하지 않으면서 타인의 아주 작은 실수나 서운한 말에는 상처를 받았다고 한다.

어떻게 인풋의 프로그램을 바꾸지 않는데, 아웃풋이 좋게 나오겠는가? 어떻게 자신의 행동을 좋게 바꾸지 않는데, 삶의 주인공으로 행복하게 살아갈 수 있겠는가? 모든 행위는 그 대가를 돌려받는 선택의 결과다.

아웃풋이 좋으려면 상대방의 말과 행위를 통해 들어오는 정보를 위의 10단계의 프로세스를 미세하게 관찰하는 과정이 있어야 바뀐다. 5단계까지 실행을 통해 자신에게 들어오는 감정과 이성적 사고를 관찰하고, 거기에서 무언가 잘못되었다고 인지하였다면, 이제 6단계에서 피드백과 책임을 통해 다른 아웃풋을 입력해야 한다.

'내가 이런 식으로 말을 하였더니 상대방이 기분 나쁜 표현을 하는구나! 조금 더 존중하는 언어를 선택하여 말해야겠다.' 이렇게 중간에 스스로의 내면을 살피고, 상대에게 변화된 상태를 나타내야 다른 아웃풋을 받아볼 수 있는 것이다.

이것이 삶의 재해석을 통해 진정한 삶의 주도적인 자세로 살아가는 방식이다.

이러한 자기 발견, 곧 자기 살핌을 통하여 7단계의 신지식을 알아차리게 된다. 그동안 저장된 기억의 지식으로 살았던 사람이 자기 지식으로 소화하여 변형된 자기만의 지식, 곧 지혜로 바뀐 지식을 받아들이게 된다. 이것이 지식의 알아차림이다. 철학자와 성현들이 알려주고자 하는 지식이 바로 이것이다. 국어책 읽듯이 기억하고, 알고 있는 지식은 아무 쓸모없다. 모두 교만하고, 거만하면서 잘난 척하기 좋아하는 자기 자랑의 대용량 컴퓨터일 뿐이다.

이제 재해석된 신지식으로 새롭게 저장되기 시작한다. 8단계에서 저장된 지식은 반복되는 삶 속에서 습관으로 내재화시킨다. 이러한 과정을 반복하면 몸에 배게 되면서 체화되는 산지식이 된다. 이 상태가 되면 이제 삶이 즐겁다. 하는 일마다 의미와 가치가 있으며, 행복하다. 누굴 만나도 여유가 있으며, 단단하고 성숙해진 인격을 가지고 살아간다.

진정한 삶의 즐김이 어떤 상태인지 인지한 것이다. 이렇게 스스로의 삶을 통하여 증명될 때, 행복이나 사랑, 배려와 존중, 봉사와 나눔과 같은 언어들이 단순한 문자의 단계에서 살아 숨쉬는 삶의 언어로 개념이 정립된다. 이 과정을 통하여 인간은 진정한 삶의 가치관이 무엇인지 인지하고, 스스로 삶에 대한 철학을 정립하게 된다.

2. 앎은 결과 & 행은 고르는 과정

앎은 결과다.

행은 그 앎을 인지의 영역으로 가져오기 위해 고르는 과정이다.

무엇을 통하여 그 결괏값을 얻게 되었을 때 진정한 앎의 결과를 얻게 되기 때문이다. 그렇다면 올바른 앎을 정립하기 위하여 부단한 도전과 새로운 시도들을 해야 한다. 그것만이 앎을 제대로 완성하기 때문이다.

그렇다면 그 앎으로 가기까지 무수한 실수와 실패를 반복한다는 개념도 성립된다. 곧 우리는 미안하고, 사과하고, 인정하고, 부끄럽고, 민망하면서 어색하고, 두려운 순간들, 불안과 고민, 낙담과 절망의 순간들을 수없이 반복하고, 부딪쳐야 한다는 의미다. 그래야 행복과 성공도 맛본다.

그 삶과의 투쟁, 곧 자신의 부족한 모습과 마주하는 순간들을 많이 하면 할수록 그는 거대한 성장을 한다. 그래서 자신과 싸워 이긴 사람이 진정한 승리자라 했다.

성경에는 이런 말이 있다.

"노하기를 더디하는 자는 용사보다 낫고 자기의 마음을 다스리는 자는 성을 빼앗는 자보다 나으니라"

자기의 진정한 상태를 알아야 다스리고, 주도적으로 선택할 수 있는 것이다. '내 안에 내가 얼마나 많이 있는지 나도 몰라' 이런 노래가 있듯이 자신의 감정과 생각의 흐름이나 상태도 인지하지 못하는데, 어떻게 다스리고, 주도적인 삶을 살아갈 수 있겠는가?

 보고 배운 지식은 인지의 과정을 거쳐 행동으로 옮기게 된다. 그 행동이 검증하는 과정이다. 알고 있는 것과 행동하는 것을 통해 상대방에게 적용하는 것이 맞는 것인지, 올바른 것인지, 아니면 잘못된 방식인지를 확인하는 과정이다. 그러한 선택이 바로 고르는 과정이다. 이것을 선택하였을 때의 결과, 저것을 선택하였을 때의 결과를 비교하여 무엇이 자신에게 진정으로 좋은 것인지를 고른다.

 우리는 지금까지 남의 지식으로 살아왔다. 보고 들은 지식이 마치 자신의 것인 양 알고 살아왔지만, 실질적인 어려운 문제나 상황을 맞닥뜨렸을 때 선택하지 못하거나 잘못된 선택을 할 때가 많았다는 것이다.

 앞의 글에서의 내용처럼 감정의 느낌을 통하여 자신의 행동이 올바른지 아닌지를 검증하는 것이다. 긍정적인 느낌을 받았다면 그것은 올바른 선택이었으며, 그렇지 않고 부정적인 느낌을 받았다면 그것은 잘못된 선택이라는 신호다.

 이러한 내적 심리의 흐름은 한두 번의 경험을 통하여 인식할 수 있는 단계는 아니다. 많은 경험을 통해 달인의 경지에 이르듯 지식이 지혜의 경지에 이름은 반복된 경험을 통하여 스스로 인지하는 것이다.

 왕양명은 말했다.
 "앎은 행의 시작이요 행은 앎의 이루어짐이니라."

3. 이유는 원리다

'이유'는 무엇을 선택하는 동기다.

인간은 이유를 알 때 주도적이 된다. 이유를 모르면 수동적이 되고, 하기 싫거나 억지로 하게 된다. 왜 그것을 해야 하는지, 그것을 인간은 본질적으로 추구하고, 알고 싶어한다. 그래서 아이들은 항상 '왜?'라는 말을 입에 달고 산다. 궁금하기 때문이다. 하지만 성장하면서 질문은 사라진다. 그것은 부모로부터, 학교로부터, 사회로부터 금지당하기 때문이다. '너는 무조건 해야 해!' 하는 주입식, 강요식 교육으로 의지를 꺾어 버리기 때문이다.

학생들이 공부를 하기 싫은 이유는 필요성을 피부로 느끼지 못하기에 그렇다. 그들이 삶의 현장에서 수많은 스트레스를 통하여 받는 노동에 비하여 대가는 너무 부족하고, 생활비로 며칠 만에 바닥이 난다는 사실을 모르기에 그렇다. 그런 경험을 통하여 직업의 선택과 더 나은 급여를 받는 삶의 방식 그리고 돈의 소중함을 피부로 느낄 때 생각이 바뀌게 된다. 이때는 절약하지 말라고 해도 절약하는 생활을 하게 된다.

"연애는 이상이고, 결혼은 현실이야!"라고 말하지만 지금 한창 사랑에 빠진 자녀는 부모의 잔소리가 귀에 들어오지 않는다. 그들에게 연애와 결혼은 다르다고 말하는 것은 의미 없다. 그렇게 사랑했던 부부일지라도 10년 이상을 살고 나면, 다시 태어나도 저 사람과 결혼하고 싶다는 사람은 손에 꼽을 정도로 적다.

20대에 직장 생활을 시작하면 쓸 때 쓰더라도 저축하는 습관이나 재테크, 경제 관념 등에 대하여 미리미리 준비하라고 하지만 그것은 쉽지 않다. 처음 돈을 사치스럽게 소비하며 살다가 30대 중반에 이르러서야 생각이 조금씩 달라지기 시작한다. 이제 비교를 통해 주변 사람들이 달라짐을 알게 되기 때문이다. 물론 지금은 정보의 보편화로 젊을 때부터 열심히 살면서 다양한 자기 계발과 경제활동을 하는 사람들도 많다.

여기서 말하고자 하는 핵심은 어떤 상황이나 환경, 지식에 대하여 명확히 아는 것과 보고, 들어서 아는 지식은 차원이 다름을 말하는 것이다.

그러므로 우리는 이유를 알지 못할 때와 이유를 알고 나서의 삶은 완전히 다르다.

이유는 그것이 그렇게 되어야만 하는 원리요 공식이며 법칙이다. 무엇이든지 우리는 원리를 알 때 쉽다. 자동차를 수리하거나 운전을 배우고, 컴퓨터를 고치고, 포토샵 디자인을 배우고, 피아노를 치는 것은 원리를 배우지 않으면, 그것에 대한 책을 읽었다고 하여 쉽게 할 수 있는 것은 아니다. 하지만 배우고 1~2년이 지나면 누구나 어느 정도는 할 수 있다. 달인의 경지에 이르기 위해서는 10여 년의 시간이 필요하다. 모든 것이 이와 같다.

기술적, 재능적인 것도 이러할진데, 인간의 감정과 사고의 흐름, 천만 가지 마음의 변화무쌍한 바이오리듬, 살아가면서 겪는 삶의 무수한 문제와 갈등, 고민들, 나도 나를 모르는 심리적인 변화들에 대하여 어떻게 배우지 않고 능수능란하게 달인이 되어 대처할 수 있겠는가? 불가능에 가깝다.

하지만 공식을 알면 훨씬 쉬워진다. 목적지를 모르면 아무리

많은 시간을 걸어도 도착할 수 없다. 목적지를 알면 시간 문제이지 누구나 도착한다. 이유나 공식은 목적지를 아는 것과 같다.

산수는 쉽다. 그러나 수학은 어렵다. 고구마를 캐는 것은 쉽다. 그러나 고구마를 농사짓는 것은 어렵다. 어찌보면 연애나 결혼은 쉽다. 그러나 연애를 하면서 발생하는 갈등이나 결혼해서 생기는 문제들에 대해서 조율하고, 감정 상하지 않고 해결해내는 비결은 어렵다.

삶이라는 수학을 홀로 잘 풀어내는 것은 어렵다. 그러나 선생님을 통하여 공식을 배우고, 예습과 복습을 반복하다 보면 언젠가는 잘할 수 있게 된다. 삶의 갈등이나 고민들에 대하여 잘 풀어내지 못하는 이유는 감정이나 이성이 왜 그렇게 망나니처럼 날뛰며, 그것을 어떻게 다루어야 하고, 어떻게 풀어줄 때 해결될 수 있는지 잘 모르기 때문이다.

알고 보면 감정이나 이성은 자아의 본질이 아니다. 하나의 사건이나 환경에 대하여 반응하는 마음의 작용이다. 작용이란 어떤 압력을 가하지 않으면 작동하지 않는 기계와 같다는 의미다. 그러하기에 그 작용을 일으키는 본질은 무엇이며, 그 작동을 조절할 줄 아는 방법만 터득하면 된다.

무엇이든 배우면 알게 되고,
알게 되면 쉬우며,
쉬우면 누구나 할 수 있다.

부정적 에너지와 긍정적 에너지는 마음 작용의 흐름이며, 그 흐름은 선택 가능한 조건 중 하나일 뿐이다. 그와 같이 불행이나 행복도 그렇다. 이것은 알고 보면 '선택의 영역'이지 운명이거나 무엇 또는 누구로 인하여 발생하는 결과도 아니다.

선택의 열쇠가 자신의 손에 있는 것을 아는 것, 그것이 원리를 알아야 하는 이유다. 그래서 '기회는 준비된 자에게 오는 인연이며, 인연은 우연이라는 이름으로 주시는 신의 선물이다!'라고 했다.

운명은 스스로 개척하는 것이다.
스스로 개척하는 삶이 자기 주도성이요 자기 주도적인 삶은 그것을 해야 하는 이유를 알 때 작동한다.

이유는 행위를 유발하는
동기며 원리다!

제5장
양심의 3가지 작용과 인지부조화 이론
; 양심적 관점

1. 인지부조화 ; 이성의 잘못된 선택
2. 양심의 시그널 ; 느낌
3. 양심의 작용 형태 ; 인정, 방어, 거부
4. 인정 ; 성숙한 인격자
5. 방어 ; 무지(無知)한 범인(凡人)
6. 거부 ; 양심에 털 난 인간들
7. 잘못된 신념 VS 메타 인지

양심의 소리를 듣는 방법

1. 인지부조화 ; 이성의 잘못된 선택

인지부조화 이론(認知不調和理論)이란 사람들이 자신의 태도와 행동 등이 서로 모순되어 양립될 수 없다고 느끼는 불균형 상태가 되었을 때, 이를 해소하기 위해서 자신의 인지를 변화시켜 조화 상태를 유지하려 한다는 주장의 이론이다.

쉽게 해석하자면,
잘못된 행동을 하면서 '양심이 주는 괴로운 감정'을 없애기 위해 자기 최면(합리화)을 걸어 '내가 하는 행동은 무엇 무엇을 위해서 한 좋은 일이야!'라고 양심과 이성의 불균형 상태를 없애려는 이성의 선택이다.

2. 양심의 시그널 ; 느낌

양심(良心)은 사물의 가치를 변별하고 자기의 행위에 대하여 옳고 그름과 선과 악의 판단을 내리는 도덕적 의식이다. 다만 양심은 인간에게 '느낌'으로만 감지할 수 있다. 그것이 옳은지 알려주는 긍정적인 느낌과 그것이 그른 것인지 알려주는 부정적인 느낌이다.

무엇을 하려고 할 때 또는 하고 나서 찜찜하거나 기분 나쁜 느낌이 든다면 그것은 당신이 하는 것에 대하여 잘못되었다고 알려주는 부정적인 신호의 느낌이다.
반대로 흐뭇하거나 기분 좋은 느낌을 받는다면 그것은 당신이 하는 것에 대하여 올바르다고 알려주는 긍정적인 신호의 느낌이다.

3. 양심의 작용 형태 ; 인정, 방어, 거부

양심의 기능은 그 신호를 받아들인 인간에게 세 가지 형태로 나타난다.

첫째는 인정이다. 이들은 사과와 같이 잘못을 수정하는 방식으로 나타난다.

둘째는 방어다. 이들은 방어기제와 같이 변형시킨다.

셋째는 거부다. 이들은 시간에 의해 인지부조화로 양심에 화인 맞은 사람들로 나타난다.

사람들이 잘못된 행동을 하면 내면의 존재가 '그것은 잘못되었다'고 양심을 찌른다.

4. 인정 ; 성숙한 인격자

첫 번째, 인정은 양심이 알려주는 불편한 감정을 그대로 가지고 있으면 안 된다는 감정의 고통을 이성적인 생각이 올바른 판단을 내려 말이나 행동으로 표현하도록 생각이 내리는 올바른 선택이다.

그때 지혜롭거나 인지하는 사람은 즉시 올바른 선택을 한다. 아니면 나중에 인정하거나 사과한다. 그렇게 인정을 하면 말이나 행동을 통해 사과를 하거나 피해를 보상한다. 이러한 인정은 불편해서 무의식적으로 행하는 사람이 있는가 하면 심리적, 철학적 또는 정신적 성숙을 통해 이러한 과정을 의식적으로 인지하여 처리하는 사람으로 구분된다.

 무의식적인 사람은 그러한 행동이 옳다는 사고방식이 습관으로 형성되어 나타나지만, 논리적이거나 이론적으로 인지하여 의식적으로 명료하게 아는 것이 아니다. 그러므로 그들은 삶은 올바르게 살 수는 있지만, 타인을 논리적, 체계적으로 자신과 같은 삶의 방식으로 이끌어주는 멘토가 되기는 어렵다. 인지하지 못하기 때문이다.

 의식적인 사람은 잘못된 행동에 대하여 자기 주도적인 모습으로 바꾸어 나가는 성숙함으로 고차원의 인격으로 인생 철학이 형성된 사람이다. 이러한 개념을 형성한 사람은 체계적인 구조화를 통해 논리적, 이론적 학문과 철학으로 타인을 올바르게 이끌어주는 스승이 된다.

5. 방어 ; 무지(無知)한 범인(凡人)

 두 번째, 방어는 양심이 알려주는 불편한 감정을 변형시켜 다른 모습으로 합리화한다. 이는 불편한 감정을 가지고 있을 수는 없는데, 그것을 그대로 표현하자니 자존심이 상하고, 상대방에게 지는 느낌을 받기 때문에 이성이 자존심을 보호하고, 자신을 우위에 놓으려는 거짓되고, 위선적인 선택이다.

 무지(無知), 곧 이러한 원리의 지식을 모르는 사람은 분명히 양심이 괴롭기는 한데, 왜 그런지는 모르고 가슴이 답답해지고, 감정적으로는 짜증이 나거나 스트레스 압박을 받는다. 이러한 현상을 방어, 처리, 해소하려는 심리 교란 기술이 방어기제다.

방어기제는 부정, 억압, 합리화, 투사, 승화, 동일시, 퇴행, 치환

등 다양하다. 남 탓을 하는 것은 투사하는 현상이며, 거짓말이나 왜곡도 자기를 합리화시켜 보호하려는 방어기제다. 어떻게 보면 잘못한 것을 합리화시키는 자세는 자기에게 하는 거짓말이요 정신 승리다.

방어기제란 자신에게 일어난 사건을 부정적으로 재해석하여 감정을 처리하는 방법들이다. 자신에게 무언가 일어났는데 그것이 무슨 문제로 일어났는지 모르는데, 불안감이나 죄책감이 든다. 그 압박된 감정을 해소하려는 다양한 방식의 감정 처리, 해소 방법이다. 그렇게라도 대체해야 살겠다는 '감정이 느끼는 고통'의 시그널이다.

방어기제란 한마디로 자기가 잘못해 놓고, 엉뚱한 말이나 행동으로 표현하는 현상이다. 그렇게 살지 말라고 내면에서 알려주는 기능이 양심이다.

사람들은 가끔 자신에게 손해를 보면서도 양심 고백을 하는 경우가 있다. 그만큼 양심이 괴롭기 때문에 양심의 가책을 받아 죄수들까지도 양심 고백이나 자백을 한다. 그것이 양심의 소리가 가진 기능이다.

양심의 기능은 그렇게 어마어마하기 때문에 그것이 작동하면 인간은 그것을 처리, 수행하지 않으면 견딜 수 없다. 다만 처리의 방법이 다를 뿐이다.

6. 거부 ; 양심에 털 난 인간들

세 번째, 거부는 시간에 의해 인지부조화로 '양심에 화인 맞은 사람들'로 나타난다. 양심을 거부하거나 억누르려는 사람은 양심의 기능이 점점 무디어져서 인지하기 어려워지다가 나중에 그 감각을 상실한다. 이들을 가리켜 인지부조화라 한다.

이들도 양심이 알려주는 불편한 감정을 그대로 가지고 있으면 불편한 것은 동일하다. 하지만 이들은 자신에게 가진 것이 많다. 부와 권력, 명예와 같은 기득권이 강하든지 아니면 누구에게도 지지 않는 강한 자존심을 가진 사람들이 많다.

그러므로 이들은 자신이 가진 생각이나 선택이 잘못되었어도 그것을 인정하는 순간 파렴치범으로 몰락하는 수치심, 모욕과 치욕을 견디어낼 자신이 없다. 그래서 남들이 모두 잘못되었다고 하고, 또 스스로도 죄책감을 느끼지만 그것을 거부하는 선택을 취한다.

하지만 이들도 양심이 주는 고통은 동일하다. 그래서 그것을 치환하는 대체재가 있어야 한다. 감정이 주는 고통을 이성이 다른 형태로 바꾸는 선택을 한다. 그래야 감정이 주는 양심의 고통에서 해방될 수 있기 때문이다. 지독히도 못된 선택을 하는 전형적인 나쁜 유형의 인간이다. 그래서 양심에 털 났다거나 양심을 팔아먹었다고 하는 유형이다.

'내가 친일파가 된 것은 조국과 백성이 당하는 고통을 방어, 보호해주려고 했던 것일 뿐이야!'

민주주의 투쟁을 하면서 운동권 친구를 고자질하여 팔아먹고, 권력의 시녀가 된 인간이 '내가 독재자의 앞잡이 노릇을 한 것은 국가를 위한 어쩔 수 없는 선택이었어!'

이런 식으로 자신이 잘못하고서도 그 잘못을 환경이나 상황 또는 타인에게 상습적으로 뒤집어씌우는 사람들이 취하는 전형적인 유형이다.

 한마디로 인지부조화란,
 양심이 알려주는 '올바른 선행의 길'을, 이성(생각)이 '왜곡시킨 잘못된 선행'으로 바꿔치기한 후, 동일화시켜 '잘못된 행동이 가져온 악행'을 덮으려는 개수작이다. 그런 왜곡이 반복되면 스스로도 인지할 수 없는 오류, 즉 잘못이 아니라고 억지로 우기는 상태에 빠진다. 이렇게 잘못을 인지할 수 없는 부조화의 상태, 곧 인지부조화다.

 자기 합리화나 타인의 심리를 조작하는 가스라이팅은 인지부조화 상태에 빠지기 쉽다. 자기 방어기제의 '합리화' 상태는 스스로 잘못하고 있는 것을 인지하면서 합리화시키려는 사람들이다. 하지만 인지부조화 상태의 사람은 잘못된 선택을 하면서도 자신이 옳다는 신념을 가진 사람들이다. '잘못된 신념'이다.

 방어기제를 통하여 자기를 변호하려는 사람들의 위험성은 그들이 습관적으로 오랜 시간 그런 왜곡을 하므로 양심이 무디어지는 데 있다. 그러면 그들 또한 양심의 기능이 떨어져 인지부조화 상태에 빠지기 때문이다.

7. 잘못된 신념 VS 메타 인지

 그래서 잘못된 신념을 가진 사람만큼 무서운 사람은 없다고 했다. 사상이나 이념적으로 강력하게 신념을 가졌는데, 그 신념이 잘못되거나 왜곡된 사람들은 물불을 가리지 않으며, 자신의 생명까지 불사하여 신념을 지키려 한다. 이들은 스스로 옳다고 생각하기에 타인을 해하고, 심지어 죽이는 일을 하면서도 자신은 옳은 일을 행하고 있다고 착각하기 때문에 위험하다.

사이비 종교나 인종차별, 백인우월주의자처럼 극편향된 의식을 가진 신념의 사람들이 모두 인지부조화된 사람들이다. 이들은 자신과 가족은 물론 국가와 인류를 망치는 종족이다.

그러므로 자신의 내면 상태를 올바로 아는 것, 이것만큼 중요한 것은 없다. 아는 것을 안다고 하고, 모르는 것을 모른다고 알고 있는 상태, 이것이 진정한 리더요 참된 지식인이며, 삶을 올바르게 살아가는 성자다.

모르면서 아는 것처럼 행동하는 사람은 대단히 위험한 사람이다. 자기도 모르게 인지부조화 상태로 빠지기 쉽다.

성현들은 그래서 하나 같이 모르는 것을 모른다고 말할 수 있는 사람은 훌륭하다고 했다. 그는 그 모르는 분야에 대해서 명확히 알고 있으므로 그 모름을 앎으로 알아갈 수 있는 기회를 갖기 때문이다. 하지만 알고 있다고 착각하는 사람들은 그 모름에 대하여 관심이 없으므로 절대 알아갈 수 없다. 알아갈 수 있는 기회를 스스로 차단하였기 때문이다.

'앎은 행의 시작이요 행은 앎의 이루어짐이다'라고 앞에서 말했다.

알면서도 행하지 않음은 그는 모른다는 것이며,
그 모름을 인지하고, 행으로 실천할 때 그때만이 진정한 앎으로 승화된다.

이러한 앎으로의 승화는 지식을 반드시 재해석하여 피드백하는 과정을 반복할 때 올바른 인지의 단계로 확장되어 나아간다. 이것이 '나'라는 자아에서 확장성을 갖는 '우리'라는 공동체 개념으로 세계관이 바뀌는 메타 인지다.

 메타 인지란 바라보는 관점의 확장으로 인하여 한 차원 높은 시각에서 관념이나 사상, 의식이 확장되어 바라볼 수 있는 인지를 말한다.

 이때만이 같은 것 같지만 다른 차원의 삶으로 승화되어 자신과 타인을 진정으로 이롭게 하는 삶을 살게 된다.

세상에는 분야별로 뛰어난 사람들이 있다. 뛰어남을 넘어 탁월한 사람들도 많다. 1인 2역, 3역을 하는 사람들도 있다. 그것도 프로의 세계에서

테일러 스위프트는 가수 공연 수익으로 1조원을 번 최초의 가수가 되었다. 오타니는 세계 최고의 메이저리그에서 투수와 타자를 겸하는 거의 유일의 만능선수다. 그런데 10년 계약 연봉도 9,240억원으로 전 세계 1위의 연봉 계약자다. 방탄소년단이나 블랙핑크, 손흥민 같은 스타들도 세계 최고의 반열에 올랐다.

그렇지만 중간이 아닌 2부리그나 아마추어들도 있으며, 동네 축구나 문외한도 많다. 왜냐하면 배우지 않았거나 모르기 때문이다. 또 그만큼 체력이나 능력, 재능이 부족하기 때문이기도 하다.

중요한 것은 자신의 상태에서 더 나은 상태로 나아갈 수 있는데도 하지 않는 사람들이다. 이것은 삶을 살아가는 방식에서도 그렇다. 우울하고, 공허하면서 견딜 수 없는 삶의 고통이 지속되는 데도 어떻게 하면 변화된 삶을 살아갈 수 있을지 찾거나 노력하지 않는 사람들이다.

전문가나 프로가 되기 위해서 그 지식을 배우는 방법이 있듯이, 이 책은 모든 삶의 문제에도 그것을 해결할 수 있는 원리가 있음을 알려주는 방법서이며, 원인을 발견하고, 방법을 배워, 더 나은 결과를 도출하는 안내서다.

학생은 배울 때만이 지식을 습득할 수 있다. 또 지식을 이해할 수 없을 때는 질문을 통하여 자기 것으로 소화하듯, 이 책은 마치 워크북과 같이 원리와 방법을 습득하도록 기술하였다. 그리고 구체적인 부분이나 언어적 해석에 대하여 체득되지 않는 부분은 질문과

코칭을 통해 자기 것으로 만들면 된다.

인간이 이 세상을 살아가면서 생활적인 면에서 보면 안 되는 일은 없다. 다만 사람들이 안 해주려 하고, 안 하려 하기 때문에 얻지 못할 뿐이다.

두껍지 않도록 만든 책이지만 누구나 쉽게 접근하여 도움이 될 수 있기를 바라는 마음으로 오랜 시간 모아 놓은 자료와 그동안 출판하였던 책을 활용하여 단기간에 집약하여 출판하였다. 많은 사람들의 삶에 진심으로 도움되기를 바라는 마음으로 심혈을 기울였다.

이 책의 제목은 '남편 때문에 우울증 온 주부들의 해결책 3가지'로 필요성을 느끼는 사람들을 핵심 타겟을 좁혔지만, 2장부터는 모든 삶에도 적용된다. 삶의 공식이기 때문이다.

수많은 상담과 코칭을 하며, 행복학 강의를 하는 사람으로서 보고 느낀 사례들을 기반으로 체계적 이론으로 담았다. 사례들은 다른 출판된 책이나 카페에 많이 올려져 있다. 이론은 사례를 통하여 만들어지며, 다시 그 이론은 사례를 통해 검증되기 때문이다.

한 번 스치고 지나칠 수도 있지만, 한 번 머문 눈길이 삶을 전환하는 운명적 기회들도 많다. 이 책이 독자에게 그렇게 다가갈 수 있는 책이 되기를 노크해 본다.

라이팅 테라피를 통한 글의 재해석 작가

윤 정 현